43 EULENBURG AUDIO+SCORE

Ludwig van Beethoven

Symphony No. 6 in F major / F-Dur

Op. 68 'Pastorale'

Edited by / Herausgegeben von
Richard Clarke

EULENBURG

EAS 143
ISBN 978-3-7957-6543-9
ISMN M-2002-2367-5

Edition based on Eulenburg Study Score ETP 407

Ernst Eulenburg Ltd
48 Great Marlborough Street
London W1F 7BB

Contents / Inhalt

Preface

Despite the well-known tradition in Beethoven criticism of assigning the composer's works to one of three creative periods, the nine symphonies are perhaps best divided into four groups. The first and second were written during the time that conventionally marks the transition between the early and middle period. The next four belong to what may be described as the 'heroic phase', which begins in 1802 and is marked by a prodigious output of highly original works on a grand scale. The Seventh and Eighth, which mark the end of the middle period, show a certain retreat from the bold directions taken in the first six works. The Ninth is Beethoven's only symphony of the last fifteen years of his life and its unusual structure and unprecedented large performing forces place it in a category of its own.

In fact, Symphonies 1 and 2 look back to eighteenth-century Viennese classicism more than they foreshadow the composer's future. Both break new ground in their movements in the scherzo, the second in particular enjoys a close kinship with Mozart's *Prague Symphony*, K504 of 1786, a work with which it shares its sunny mood and the scale of the slow introduction to the first movement. The *Eroica* was begun immediately after the Second, but under profoundly different personal circumstances for the composer: it is the first work in which he came to terms with his increasing deafness, by going far beyond the limits of musical convention. The next symphony Beethoven began composing, in C minor (the Fifth), took the genre a stage further by its concern for overall planning, its four contrasting movements being unified by the presence of a distinctive rhythmic motive and the parallel tonality of C major. In the *Pastoral Symphony* (the Sixth) he solved the problem of large-scale organization in other ways: by joining the last three movements to one another and by drawing a thematic curve across the entire work.

Beethoven's progress as a symphonist did not pursue a single path or a straight line, as seems to have been the case in the string quartets. The Fourth Symphony, which was composed quickly in the summer of 1806 after the *Eroica*, gives the feeling of a return to classical principles (the orchestral forces required for it are the smallest for a Beethoven symphony), may have been released before the Fifth on account of unfavourable reactions to the *Eroica* after its first performance in 1805. It is quite likely that memories of the artistic failure of the 1808 concert featuring the Fifth and Sixth Symphonies prompted the composer to write a pair of outwardly lighter works, or at least cooler ones, in 1811–12; more than the Fourth Symphony, the Eighth marks a return to eighteenth-century symphonic dimensions.

With the Ninth, of course, Beethoven resumed his pioneering role as a symphonist, combining a supreme command of sonata structures and orchestral technique with masterly control of the additional forces of chorus and solo voices to shape a type of composition hitherto unknown in serious concert music. The fusion of symphony and oratorio was by no means quickly realized. The intention to write a symphony in D minor was first expressed during the

Preface

Despite the well-known tradition in Beethoven criticism of assigning the composer's works to one of three creative periods, the nine symphonies are perhaps best divided into four groups. The First and Second were written during the time that conventionally marks the transition between the early and middle period. The next four belong to what may be described as the 'heroic phase', which begins in 1803 and is marked by a prodigious output of highly original works on a grand scale. The Seventh and Eighth, which mark the end of the middle period, show a certain retreat from the bold directions taken in the first six works. The Ninth is Beethoven's only symphony of the last fifteen years of his life; and its unusual structure and unprecedented large performing forces place it in a category of its own.

In fact, Symphonies 1 and 2 look back to eighteenth-century Viennese classicism more than they foreshadow their composer's path-breaking achievements in the genre; the second, in particular, enjoys a close kinship with Mozart's *Prague Symphony* (K504) of 1786, a work with which it shares tonality, mood, and the shape of the slow introduction to the first movement. The *Eroica* was begun immediately after the Second, but under profoundly different personal circumstances for its composer: it is the first work in which he came to terms with his increasing deafness by going far beyond the limits of musical convention. The next symphony Beethoven began composing, in C minor (the Fifth), took the genre a stage further by its concern for overall planning, its four contrasting movements being 'unified' by the presence – at different levels – of the parallel tonality of C major. In the *Sinfonia pastorale* (the Sixth) he solved the problem of large-scale organisation in other ways, by joining the last three movements to one another and by drawing a dynamic curve across the entire work.

Beethoven's progress as a symphonist did not pursue a single path, or a straight line, as seems to have been the case in the string quartets. The Fourth Symphony, which was composed quickly in the summer of 1806 and represents something of a return to classical principles (the orchestral forces required for it are the smallest for a Beethoven symphony), may have been released before the Fifth on account of unfavourable reactions to the *Eroica* after its first performance in 1805. It is more likely that memories of the artistic failure of the first concert featuring the Fifth and Sixth Symphonies prompted the composer to write a pair of musically lighter works, or at least cooler ones, in 1811–12; more than the Fourth Symphony, the Eight marks a return to eighteenth-century symphonic dimensions.

With the Ninth, of course, Beethoven resumed his pioneering role as a symphonist, combining a supreme command of sonata structures and orchestral technique with masterly control of the additional forces of chorus and solo voices to shape a type of composition hitherto unknown in serious concert music. The fusion of symphony and oratorio was by no means quickly realized. The intention to write a symphony in D minor was first expressed during the composition of the Eighth, the theme of the Scherzo was first sketched a few years later in 1815; the first sketchleaf entry describing a symphony with chorus dates from 1818. By the time the Ninth was completed twelve years had elapsed since the previous symphonies; only the composition of a still more innovatory set of works, the late string quartets, remained to be achieved.

Towards the end of his life Beethoven expressed the desire to write one more symphony. Two of his companions from the late years, Anton Schindler and Karl Holz, claimed that large sections of a 'Tenth Symphony' had been sketched and that the work was complete in the composer's mind; but from the evidence of the surviving manuscripts, it appears that little, if any, progress was made on a new work in the genre.

From the point of view of performance and early reception, it is not the year 1803, but 1807 that marks the dividing line in Beethoven's symphonic output. The first four symphonies were originally intended more for private consumption, being written for and dedicated to their patrons and played mainly in aristocratic circles. The last five symphonies were written specifically for public concerts. The Fifth and Sixth, composed in 1807–8, were heard for the first time in December 1808; the Seventh and Eighth (also composed in rapid succession) at a series of concerts in the winter of 1813–14. For each pair of works, Beethoven composed – nearer the date of the concerts – an occasional piece that would provide a fitting end to a musically arduous programme; the Choral Fantasy in 1808, the *Battle Symphony* (*Wellington's Sieg*) in 1813. When the Ninth Symphony was first performed in May 1824, in a programme that included other Viennese Beethoven premières, its own finale provided the rousing conclusion to the concert.

William Drabkin

Sinfonia pastorale

Dedicated to Prince Franz Josef Lobkowitz and Count Andreas Rasumovsky
Composed: 1807–8 in Vienna
First performance: 22 December 1808 in the Theater an der Wien
First publication: Breitkopf & Härtel, Leipzig, 1809
Orchestration: 2 flutes (piccolo), 2 oboes, 2 clarinets, 2 bassoons – 2 horns, 2 trumpets, 2 trombones – timpani – strings
Duration: ca. 41 minutes

From the perspective of 19th-century Romanticism, Beethoven's symphonies tend to appear as a carefully planned sequence whose essential unity of purpose is emphasised by the variety with which they manifest their unprecedented expressive force, the single element they might seem to hold in common. It was natural for Beethoven's successors to experience that forcible quality of heightened expressivity as the chief merit of the 'Immortal Nine' , such emotional intensity being the touchstone of the romantic sensibility itself, where musical communication is perceived as a functional extension of the creator's personal experience.

As time passes, so the focus shifts. Today, what is perhaps most notable about Beethoven's nine symphonies is their immense diversity of expressive intent, emotional tone, and the rich variety of physical sound-quality which articulate those values. The *Pastoral*, perhaps more strikingly than any other of his symphonies, shows Beethoven not as the constructor of an abstract or ideal symphonic language, but as adapting a personal style to express the immediacy of a shared experience in terms appropriate to that purpose.

In his sketches, Beethoven often starts from a primitive model which is progressively refined from the general to the particular. In the *Pastoral Symphony* he similarly takes up a simple premise to develop it in terms of his expressive needs. That premise is, of course, the concept of 'natural' sounds as a possible element in a discourse otherwise constructed from 'musical' sounds, and by extension the incorporation of such sounds into a musical experience combining a consistent integrity of language with the personal and private associations of natural phenomena such as thunder, rain, the sound of the brook, and so on.

In so modifying the nature of symphonic discourse to incorporate paraphrases or direct imitations of natural sounds, Beethoven prepares the way for his successors to develop styles of musical utterance which move beyond musical abstractions towards expressions of emotional affects or personal character, the twin foci of what came to be called 'programme-music'. For composers like Weber and Berlioz, Mendelssohn and Schumann, the pictorialism of the *Pastoral* was to become as paradigmatic as the idioms of the *Eroica*, the Fifth and Ninth Symphonies were for such different composers as Liszt and Bruckner, Brahms and Mahler.

Beethoven's awareness of the novelty of his procedures in the *Pastoral* is emphasised by his giving titles to the individual movements; titles which, though apparently descriptive, are intended to make the listener understand how little the music depends upon literal transcription of natural sounds and how much upon their integration into the symphonic process. That process deals with an universal experience, the way in which a special perspective upon our inner being is opened up for us by contemplation of nature, a contemplation leading to a renewed acceptance of our proper place within it. Above all, Beethoven is concerned to share his personal experience of that perception, not indeed to lecture us about the place which nature ought to occupy in our understanding of ourselves, so much as simply to invite us to partake of an emotional response which he himself found comforting and reinforcing in the context of his often difficult life-experience.

Justin Connolly

Vorwort

Obwohl nunmehr traditionell Beethovens Schaffen in drei Perioden eingeteilt wird, ist es wahrscheinlich treffender, die neun Sinfonien in vier Gruppen zu untergliedern. Die erste und zweite Sinfonie entstanden zu einer Zeit, die nach allgemeiner Einschätzung den Übergang zwischen früher und mittlerer Periode darstellt. Die folgenden vier kann man einer „heroischen Phase“ zuordnen, die sich, 1803 beginnend, durch eine beachtliche Produktion von in höchsten Maße originären Werken großen Umfangs auszeichnet. Die Siebente und Achte als Abschluss der mittleren Periode lassen einen gewissen Rückzug von den kühnen Wegen erkennen, die er in den ersten sechs Werken dieser Gattung eingeschlagen hatte. Die Neunte ist Beethovens einzige Sinfonie der letzten 15 Lebensjahre; ihre außergewöhnliche Gesamtform und nie vorher da gewesene Aufführungsdauer machen sie zu einem Sonderfall.

Die erste und zweite Sinfonie sind in der Tat eher eine Rückschau auf die Wiener Klassik des 18. Jahrhunderts, als dass sie die bahnbrechenden Errungenschaften des Komponisten in der Gattung erkennen ließen. Besonders die Zweite zeigt eine enge Verwandtschaft mit Mozarts *Prager Sinfonie* KV 504 aus dem Jahre 1786, mit der sie Tonart, Grundstimmung und das Vorhandensein einer langsamen Einleitung zum ersten Satz gemein hat. Die *Eroica* wurde unmittelbar nach der Zweiten in Angriff genommen, jedoch unter grundsätzlich veränderten persönlichen Umständen für den Komponisten: Sie war sein erstes Werk, bei dem er sich mit seiner fortschreitenden Ertaubung arrangierte, indem er die Grenzen der musikalischen Konvention weit hinter sich ließ. Die nächste Sinfonie, die Beethoven zu komponieren begann, stand in c-Moll (die spätere Fünfte) und war in Anbetracht der satzübergreifenden Anlage, deren vier kontrastierende Sätze durch die – unterschiedlich starke – Präsenz der parallelen Tonart C-Dur miteinander verklammert sind, ein großer Schritt in der Weiterentwicklung der Gattung. In der Sechsten, der *Sinfonia pastorale*, kam Beethoven hinsichtlich der großformatigen Gliederung zu einer ganz anderen Lösung, indem er einerseits die letzten drei Sätze miteinander verband und andererseits das gesamte Werk mit einem wirksamen Gestaltungsbogen überzog.

Beethovens Entwicklung als Sinfoniker folgt nicht einem einzelnen Weg oder einer geraden Linie, wie es bei den Streichquartetten zu sein scheint. Die vierte Sinfonie, im Sommer 1806 schnell niedergeschrieben, markiert eine Rückkehr zu den Ursprüngen der Klassik – so ist beispielsweise die Orchesterbesetzung von allen Beethoven-Sinfonien die kleinste. Vermutlich wurde sie aufgrund der mehr als zurückhaltenden Reaktion auf die Uraufführung der *Eroica* (1805) vor der Fünften veröffentlicht. Noch wahrscheinlicher ist die Annahme, Beethoven habe sich in Anbetracht des künstlerischen Misserfolgs der Erstaufführung von fünfter und sechster Sinfonie dazu veranlasst gesehen, in den Jahren 1811/12 ein paar musikalisch unbeschwerte oder gar zurückhaltende Werke zu komponieren; mehr noch als die

Vierte kehrt schließlich die achte Sinfonie zu der üblichen Ausdehnung einer Sinfonie des 18. Jahrhunderts zurück.

Mit der neunten Sinfonie hatte Beethoven natürlich die Rolle als sinfonischer Vorkämpfer für sich zurückgewonnen, indem er den höchsten Anspruch an Sonatenhauptsatzform und orchestrale Mittel mit meisterhafter Beherrschung des Potentials von Chor und Solostimmen verband und so einen Kompositionstyp schuf, der bis dahin in der ersten konzertanten Musik ohnegleichen war. Diese Verquickung von Sinfonie und Oratorium war indes von langer Hand vorbereitet. Erste Anzeichen zur Komposition einer d-Moll-Sinfonie gab es zur Zeit der Niederschrift der Achten. Das Thema des Scherzos in seiner ursprünglichen Gestalt wurde 1815, wenige Jahre später, skizziert; das erste Skizzenblatt, das den Hinweis auf eine Sinfonie mit Chor enthält, datiert von 1818. Bis zur Vollendung der Neunten waren seit den vorangegangenen Sinfonien zwölf Jahre verstrichen und lediglich eine noch umwälzendere Reihe von Werken harrte ihrer Vollendung: die späten Streichquartette.

Gegen Ende seines Lebens äußerte Beethoven den Wunsch, eine weitere Sinfonie zu schreiben. Zwei seiner Wegbegleiter in den letzten Jahren, Anton Schindler und Karl Holz, stellten die Behauptung auf, dass weite Teile einer zehnten Sinfonie in Skizzen existierten und dass das Werk im Kopf des Komponisten vollständig entworfen worden wäre. Jedoch lassen sich aus den überlieferten Skizzen nur geringe, wenn überhaupt irgendwelche, Fortschritte am neuen Werk erkennen.

Aus der Sicht von Aufführung und früher Rezeption markiert nicht das Jahr 1803, sondern 1807 die Trennlinie in Beethovens Schaffen. Die ersten vier Sinfonien waren eigentlich mehr für den privaten Gebrauch bestimmt: für ihre Förderer geschrieben, ihnen gewidmet und vornehmlich in aristokratischen Kreisen aufgeführt. Demgegenüber sollten die letzten fünf Sinfonien ausdrücklich dem breiten Publikum vorgestellt werden. Die 1807/08 komponierten Sinfonien fünf und sechs erlebten ihre Uraufführung im Dezember 1808, die in ebenfalls rasch hintereinander niedergeschriebene Siebente und Achte in einer Folge von Konzerten während des Winters 1813/14. Als Ergänzung zu jenem Werkpaar komponierte Beethoven kurz vor der Aufführung ein Gelegenheitswerk, das ein musikalisch anspruchsvolles Programm zu einem quasi versöhnlichen Ende führen sollte: 1808 war es die *Chorfantasie* op. 80, 1813 die „Schlacht- und Siegessinfonie“ *Wellington's Sieg oder die Schlacht bei Vittoria* op. 91. Als dem Publikum im Mai 1824 neben anderen Wiener Uraufführungen von Werken Beethovens die Neunte Sinfonie präsentiert wurde, war es ihr eigenes Finale, das den krönenden Abschluss der Veranstaltung darstellte.

William Drabkin

Sinfonia pastorale

Dem Fürsten Franz Josef Lobkowitz und dem Grafen Andreas von Rasumowsky gewidmet
Komponiert: 1807/08 in Wien
Uraufführung: 22. Dezember 1808 im Theater an der Wien
Originalverlag: Breitkopf & Härtel, Leipzig, 1809
Orchesterbesetzung: 2 Flöten (Piccolo), 2 Oboen, 2 Klarinetten, 2 Fagotte – 2 Hörner, 2 Trompeten, 2 Posaunen – Pauken – Streicher
Spieldauer: etwa 41 Minuten

Aus der Perspektive der Romantik im 19. Jahrhundert erscheinen Beethovens Sinfonien oft als eine genau geplante Reihe, deren wesentlicher Gesamtsinn durch die Verschiedenartigkeit betont wird, mit der sie ihre außergewöhnlich expressive Kraft manifestieren – das einzige Element, das sie gemeinsam zu haben scheinen. Beethovens Nachfolger sahen diese eindrucksvolle Qualität von überhöhter Expressivität natürlicherweise als Hauptverdienst der „unsterblichen Neun", da diese Art emotionaler Intensität die Essenz romantischer Sensibilität selbst darstellte, in der musikalische Kommunikation als funktionale Erweiterung der persönlichen Erfahrung des Künstlers galt.

Im Laufe der Zeit verschob sich der Fokus. Heutzutage fesselt bei Beethovens neun Sinfonien vielleicht am meisten die enorme Mannigfaltigkeit der expressiven Absicht und Schattierung von Gefühlen sowie die reiche Vielfalt des Klangs, die jenen Werten Ausdruck verleiht. In der *Pastorale* zeigt es sich wahrscheinlich auffallender als in jeder anderen seiner Sinfonien, dass Beethoven nicht Baumeister einer abstrakten oder idealen sinfonischen Sprache ist. Vielmehr passt er einen persönlichen Stil dahingehend an, dass die Unmittelbarkeit eines geteilten Erlebnisses in einer diesem Zweck angemessenen Weise ausgedrückt wird.

In seinen Entwürfen beginnt Beethoven oft mit einem rudimentären Modell, welches progressiv vom Allgemeinen zum Besonderen verfeinert wird. Auch in der *Pastorale* geht von einer einfachen Prämisse aus, um sie für die Bedürfnisse seines Ausdrucks entsprechend zu entwickeln. Diese Prämisse ist das Konzept von „natürlichen" Geräuschen und Klängen als möglichen Elementen in einem Diskurs, der ansonsten aus „musikalischen" Klängen besteht, und im weiteren Sinn, die Einbeziehung solcher Geräusche in ein musikalisches Erlebnis, das eine beständige Integrität der Sprache mit persönlichen und privaten Assoziationen natürlicher Phänomene wie Donner, Regen, Geplätscher eines Bachs usw. kombiniert.

Indem er das Wesen des sinfonischen Diskurses durch das Einbeziehen von Umschreibungen oder direkten Imitationen natürlicher Geräusche abänderte, bereitete Beethoven den Weg für seine Nachfolger, Stilmittel entwickeln zu können, die über die musikalische Abstraktion hinausgehen: hin zu Gefühlsaffekten oder persönlichem Charakter, welche die beiden Zentren der so genannten Programmmusik werden sollten. Für Komponisten wie Weber und Berlioz, Mendelssohn und Schumann sollte die Bildlichkeit der *Pastorale* ebenso zum Paradigma werden wie die Idiome der *Eroica*, der fünften und neunten Sinfonie für so verschiedene Komponisten wie Liszt, Bruckner, Brahms und Mahler.

Beethoven war sich bewusst, in der *Pastorale* neue Wege beschritten zu haben, und betonte dies, indem er den verschiedenen Sätzen Überschriften gab. Obwohl diese scheinbar deskriptiv sind, sollen sie dem Zuhörer verdeutlichen, wie wenig die Musik von direkten Übertragungen solcher Klänge aus der Natur abhängig ist und wie sehr dagegen von der Integration der Klänge in den sinfonischen Prozess. Bei diesem Prozess handelt es sich um eine allgemein gültige Erfahrung: die Art und Weise, wie sich durch die Betrachtung der Natur eine besondere Perspektive auf unser Innerstes öffnet, eine Betrachtung, die uns erneut den uns angemessenen Platz in der Natur akzeptieren lässt. Aber vor allem will Beethoven sein persönliches Erlebnis dieser Wahrnehmung mit uns teilen. Er will nicht lehren, welchen Rang die Natur in unserem Selbstverständnis spielen sollte, sondern vielmehr einladen, an einer emotionalen Reaktion teilzunehmen, die ihm selbst Trost und Stärkung in seinen oft schwierigen Lebenserfahrungen brachte.

Justin Connoly
Übersetzung: Burgi Hartmann

Symphony No. 6
'Pastorale'

Dédiée à son Altesse Sérénissimé Monseigneur le Prince regnant de Lobkowitz Duc de Raudnitz et à son Excellence Monsieur le Comte de Rasumoffsky

Ludwig van Beethoven
(1770–1827)
Op. 68

Erwachen heiterer Empfindungen bei der Ankunft auf dem Lande
[Pleasant, cheerful feelings awakened on arrival in the countryside]

I. Allegro ma non troppo (𝅗𝅥 = 66)

13
Fl. 1 2
Ob. 1 2
Cl. (B♭) 1 2
Fg. 1 2
a 2
Cor. (F) 1 2
f
p
cresc.
f
dim.
I
Vl.
II
Vla.
Vc.
Cb.
23
1.
p
pp
Vc.
Cb.

32
Fl. 1 2
Ob. 1 2
Cl. (B♭) 1 2
Fg. 1 2
Cor. (F) 1 2
I
Vl.
II
Vla.
Vc.
Cb.
cresc.
p cresc.
f
40
a 2

A
48
a 2
Fl. 1 2
Ob. 1 2
Cl. (B♭) 1 2
a 2
Fg. 1 2
fp
Cor. (F) 1 2
I
Vl.
II
Vla.
Vc.
Cb.
p
57
pizz.
arco
pp

68
Fl. 1
Ob. 1 2
Cl. (B♭) 1 2
Fg. 1 2
Cor. (F) 1 2
I
Vl.
II
Vla.
Vc.
Cb.
cresc.
arco
81
Fl. 1
Ob. 1 2
Cl. (B♭) 1
Fg. 1
Cor. (F) 1 2
1.
Vc.
Cb.

B
90
Fl. 1 2
Ob. 1 2
Cl. (B♭) 1 2
Fg. 1 2
Cor. (F) 1 2
Vl. I II
Vla.
Vc. Cb.
1.
a 2
p dolce
100
cresc.

C
111
Fl. 1 2
Ob. 1 2
a 2
Cl. (B♭) 1 2
Fg. 1 2
Cor. (F) 1 2
Vl. I
II
Vla.
Vc.
Cb.
f
120
1.
dim.
p
p dim. sempre

129
Fl. 1 2
Ob. 1 2
Cl. (B♭) 1 2
Fg. 1 2
Cor. (F) 1 2
I
Vl.
II
Vla.
Vc.
Cb.
pp
p
f
3
139
Fl. 1
dolce
cresc.

D
151
Fl. 1
Ob. 1 2
Cl. (B♭) 1 2
Fg. 1 2
Cor. (F) 1 2
I
Vl.
II
Vla.
Vc.
Cb.
p cresc. poco a poco
cresc. poco a poco
160
1.
cresc.

169
Fl. 1 2
Ob. 1 2
Cl. (B♭) 1 2
Fg. 1 2
Cor. (F) 1 2
I
Vl.
II
Vla.
Vc.
Cb.
1.
a 2
cresc.
ff
178
dim.
p

E
188
Fl. 1
Ob. 1 2
Cl. (B♭) 1 2
Fg. 1 2
Cor. (F) 1 2
I
Vl.
II
Vla.
Vc.
Cb.
p
cresc. poco
p cresc. poco
198
Fl. 1 2
Ob. 1
cresc. poco a poco
a poco

207
Fl. 1 2
Ob. 1
Cl. (B♭) 1 2
Fg. 1 2
Cor. (F) 1 2
I
Vl.
II
Vla.
Vc.
Cb.
cresc.
cresc.
216
Fl. 1 2
Ob. 1 2
Cl. (B♭) 1 2
Fg. 1 2
Cor. (F) 1 2
I
Vl.
II
Vla.
Vc.
Cb.
cresc.
a 2
ff

225
a 2
Fl. 1 2
Ob. 1 2
Cl. (B♭) 1 2
Fg. 1 2
1.
p
Cor. (F) 1 2
I
Vl.
II
dim.
dim.
p
Vla.
Vc.
Cb.

234
Fl. 1 2
p
p
dolce
Ob. 1 2
1.
p
p
Cl. (B♭) 1 2
p
Fg. 1 2
1.
dolce
Cor. (F) 1 2
I
Vl.
II
p
Vla.
p
Vc.
p
Cb.

244
Fl. 1 2
Ob. 1 2
Cl. (B♭) 1 2
Fg. 1 2
Cor. (F) 1 2
I
Vl.
II
Vla.
Vc.
Cb.
p
pizz.
253
a 2
sfp

F
261
Fl. 1 2
Ob. 1 2
Cl. (B♭) 1 2
Fg. 1 2
Cor. (F) 1 2
I
Vl.
II
Vla.
Vc.
Cb.
a 2
pizz.
arco
272
2.

282
Fl. 1 2
Ob. 1 2
Cl. (B♭) 1 2
Fg. 1 2
Cor. (F) 2
Vl. I II
Vla.
Vc.
Cb.
tr
pp stacc.
p
1.
pizz.
294
dim.

303
Fl. 1 2
Ob. 1 2
Cl. (B♭) 1
Fg. 1
Cor. (F) 1 2
I
Vl.
II
Vla.
Vc.
Cb.
cresc.
p cresc.
pp
arco
pp cresc.
G
312
a 2
ff
Cl. (B♭) 1 2
Fg. 1 2

320
a 2
Fl. 1 2
Ob. 1 2
Cl. (B♭) 1 2
Fg. 1 2
Cor. (F) 1 2
I
Vl.
II
Vla.
Vc.
Cb.
327
fp
p
pizz.

338
Fl. 1 2
Ob. 1 2
Cl. (B♭) 1 2
Fg. 1 2
Cor. (F) 1 2
I
Vl.
II
Vla.
Vc.
Cb.
pizz.
arco
p
350
Ob. 1
p cresc.
a 2
cresc.
arco
p cresc.

363
Fl. 1 2
Ob. 1 2
Cl. (B♭) 1 2
Fg. 1 2
Cor. (F) 1 2
I
Vl.
II
Vla.
Vc.
Cb.
1.
a 2
cresc.
p cresc.
H
371
f
ff
p
pizz.
arco

381
Fl. 1 2
Ob. 1 2
Cl. (B♭) 1 2
Fg. 1 2
Cor. (F) 1 2
I
Vl.
II
Vla.
Vc.
Cb.
f
p
cresc.
pizz.
arco

392
Fl. 1 2
Ob. 1 2
1.
Cl. (B♭) 1 2
Fg. 1 2
Cor. (F) 1 2
I
Vl.
II
Vla.
Vc.
Cb.

402
Fl. 1 2
Ob. 1
dim.
p
Cl. (B♭) 1 2
dim.
p
Fg. 1 2
Cor. (F) 1 2
dim.
p
I
Vl.
II
dim.
p dim. sempre
pp
Vla.
p dim. sempre
pp
Vc.
dim.
p dim. sempre
pp
Cb.
dim.
p dim. sempre
pp
412
Fl. 1 2
Ob. 1 2
pp
Cl. (B♭) 1
dolce
Fg. 1 2
pp
Cor. (F) 1 2
pp
f
I
Vl.
II
p
f
pp
pp
f
Vla.
f
Vc.
f
Cb.
f

424
Fl. 1
Ob. 1
Cl. (B♭) 1 2
Fg. 1 2
Cor. (F) 1 2
I
Vl.
II
Vla.
Vc.
Cb.
p
ten.
dolce
1.
434
I
Ob. 1 2
a 2
f

444
Fl. 1 2
a 2
Ob. 1 2
Cl. (B♭) 1 2
Fg. 1 2
Cor. (F) 1 2
I
Vl.
II
Vla.
Vc.
Cb.
454
Fl. 1 2
a 2
Ob. 1 2
Cl. (B♭) 1 2
Fg. 1 2
Cor. (F) 1 2
I
Vl.
II
Vla.
Vc.
Cb.
dim.

465
Fl. 1 2
Ob. 1 2
Cl. (B♭) 1 2
Fg. 1 2
Cor. (F) 1 2
I
Vl.
II
Vla.
Vc.
Cb.
f
pp

K
476
Fl. 1 2
Ob. 1 2
Cl. (B♭) 1 2
1.
fp
p dolce
dolce
p
Fg. 1 2
Cor. (F) 1 2
I
Vl.
II
Vla.
Vc.
Cb.
f

487
Fl. 1 2
Ob. 1 2
Cl. (B♭) 1
Fg. 1 2
Cor. (F) 1 2
I
Vl.
II
Vla.
Vc.
Cb.
f
dim.
pp
498
1.
dolce
sf
p

Szene am Bach
[Scene by the brook]

II. Andante molto moto (♩. = 50)

8
Fl. 1 2
Ob. 1 2
a 2
Cl. (B♭) 1 2
Fg. 1 2
Cor. (B♭) 1 2
tr
I
Vl.
II
Vla.
2 Vc. solli
pizz.
Vc. Cb.
11
cresc.
fp
p
1.
dolce
unis.

14
Fl. 1
Ob. 1 2
Cl. (B♭) 1 2
Fg. 1 2
Cor. (B♭) 1 2
I
Vl.
II
Vla.
2 Vc.
solli
Vc.
Cb.
cresc.
p
pizz.
A
17
unis.
pizz.
arco
pp

21
Fl. 1 2
Ob. 1 2
Cl. (B♭) 1 2
Fg. 1 2
Cor. (B♭) 1 2
I
Vl.
II
Vla.
2 Vc. solli
Vc. Cb.
pizz.
p
24
1.
pizz.

27
Fl. 1 2
Ob. 1 2
Cl. (B♭) 1 2
a 2
Fg. 1 2
a 2
Cor. (B♭) 1 2
p
cresc.
I
Vl.
II
Vla.
2 Vc. solli
pizz.
Vc. Cb.
30
Fl. 1
p dolce
dolce
arco

33
Fl. 1
Ob. 1
Cl. (B♭) 1 2
Fg. 1
Cor. (B♭) 1 2
I
Vl.
II
Vla.
2 Vc. solli
Vc. Cb.
pizz.
arco
tr
cresc.
36
B
Fl. 1 2
Ob. 1 2
Cl. (B♭) 1 2
Fg. 1 2
Cor. (B♭) 1 2
a 2
f

39
Fl. 1 2
dim.
p
1.
pp
cresc.
Ob. 1 2
Cl. (B♭) 1 2
Fg. 1 2
Cor. (B♭) 1 2
I
Vl.
II
Vla.
2 Vc. solli
unis.
pizz.
Vc. Cb.
43
a 2
f
sf
cresc.
arco

46
Fl. 1 2
Ob. 1 2
Cl. (B♭) 1 2
Fg. 1 2
Cor. (B♭) 1 2
a 2
I
Vl.
II
Vla.
2 Vc. solli
Vc. Cb.
unis. pizz.
pizz.
arco
cresc.
50
dim.

C
53
Fl. 1 2
Ob. 1 2
Cl. (B♭) 1 2
Fg. 1 2
Cor. (B♭) 1 2
I
Vl.
II
Vla.
2 Vc. solli
Vc. Cb.
pp
pp dolce
pizz.
1.
dolce
56
Fl. 1
cresc.
p
arco

59
Fl. 1
Ob. 1
Cl. (B♭) 1 2
Fg. 1 2
Cor. (B♭) 1 2
I
Vl.
II
Vla.
2 Vc. solli
pizz.
Vc. Cb.
62
p
p
cresc.
cresc.
cresc.
cresc.
pizz.
cresc.
cresc.

65
Fl. 1
Ob. 1 2
Cl. (B♭) 1 2
Fg. 1 2
Cor. (B♭) 1 2
Vl. I II
Vla.
2 Vc. solli
Vc. Cb.
pizz.
arco
cresc.
a 2
D
69

Fl.
Ob.
Cl. (B♭)
Fg.
Cor. (B♭)
Vl.
Vla.
2 Vc. solli
Vc. Cb.
a 2
pizz.
cresc.
p
1.
tr
f
unis.
arco

E
79
Fl. 1
Ob. 1
Cl. (B♭) 1 2
Fg. 1 2
Cor. (B♭) 1 2
I
Vl.
II
Vla.
2 Vc. solli
Vc. Cb.
p
dolce
pp
dim.
pizz.
arco
1.
82
Ob. 1 2
cresc.

85
Fl. 1 2
Ob. 1 2
Cl. (B♭) 1 2
Fg. 1 2
Cor. (B♭) 1 2
I
Vl.
II
Vla.
2 Vc. solli
Vc. Cb.
dim.
pizz.
88
cresc.

F
91
Fl. 1 2
Ob. 1 2
Cl. (B♭) 1 2
Fg. 1 2
Cor. (B♭) 1 2
I
Vl.
II
Vla.
2 Vc. solli
pizz.
Vc. Cb.
94
cresc.
fp

97
Fl. 1 2
Ob. 1 2
Cl. (B♭) 1 2
Fg. 1 2
Cor. (B♭) 1 2
I
Vl.
II
Vla.
2 Vc. solli
Vc. Cb.
cresc.
unis.
pizz.
arco
100
p dolce

103
Fl. 1 2
cresc.
p
Ob. 1 2
cresc.
p
Cl. (B♭) 1 2
cresc.
p
dolce
Fg. 1 2
cresc.
p
Cor. (B♭) 1 2
cresc.
p
I
Vl.
II
cresc.
p
arco
pizz.
Vla.
unis.
2 Vc. solli
Vc. Cb.
106
Fl. 1 2
Ob. 1
Cl. (B♭) 1
Fg. 1
Cor. (B♭) 1 2
I
Vl.
II
Vla.
2 Vc. solli
Vc. Cb.
tr
cresc.

G
109
Fl. 1 2
Ob. 1 2
Cl. (B♭) 1 2
Fg. 1 2
Cor. (B♭) 1 2
Vl. I
Vl. II
Vla.
2 Vc. solli
Vc. Cb.
cresc.
f
tr
dim.
pizz.
arco
112
p dim.
pp
cresc.
unis.

116
Fl. 1 2
1.
Ob. 1 2
Cl. (B♭) 1 2
Fg. 1 2
Cor. (B♭) 1 2
cresc.
I
Vl.
II
tr
cresc.
pizz.
arco
Vla.
2 Vc. solli
unis. pizz.
arco
Vc. Cb.
pizz.
121
H

124
Fl. 1
Ob. 1 2
1.
Cl. (B♭) 1 2
Fg. 1 2
Cor. (B♭) 1 2
I
Vl.
II
Vla.
2 Vc. solli
pizz.
Vc. Cb.
127
Nachtigall
[Nightingale]
cresc.
pizz.

130
Fl. 1
Ob. 1
Cl. (B♭) 1 2
Fg. 1 2
Cor. (B♭) 1 2
Vl. I II
Vla.
2 Vc. solli
Vc. Cb.
Wachtel
[Quail]
Kuckuck
[Cuckoo]
a 2
cresc.
arco
135
1.
pizz.

Lustiges Zusammensein der Landleute
[Happy gathering of country folk]

III. **Allegro** (𝅗𝅥. = 108)

25
Fl. 1
Ob. 1
p dolce
pp
Cl. (B♭) 1 2
pp
Fg. 1 2
1.
pp
Cor. (F) 1 2
Tr. (C) 1 2
I
Vl.
II
pp
pp
Vla.
pp
Vc.
Cb.
37
Fl. 1
pp
p
cresc.
Ob. 1 2
p dolce
p
Cl. (B♭) 1 2
Fg. 1 2
1.
pp
pp
Cor. (F) 1 2
pp
cresc.
Tr. (C) 1 2
I
Vl.
II
dolce
cresc.
dolce
cresc.
Vla.
dolce
cresc.
Vc.
Cb.
pp
cresc.

49
1.
Fl. 1 2
Ob. 1 2
Cl. (B♭) 1 2
Fg. 1 2
Cor. (F) 1 2
Tr. (C) 1 2
I
Vl.
II
Vla.
Vc.
Cb.
a 2
cresc.
ff
sf
62
a 2

A
76
Fl. 1 2
Ob. 1 2
Cl. (B♭) 1 2
Fg. 1 2
Cor. (F) 1 2
Tr. (C) 1 2
I
Vl.
II
Vla.
Vc.
Cb.
sf
dim.
88
Fl. 1 2
Ob. 1
Cl. (B♭) 1 2
Fg. 2
Cor. (F) 1 2
Tr. (C) 1 2
p
cresc.
pp

101
Fl. 1 2
Ob. 1
dolce
cresc.
Cl. (B♭) 1 2
Fg. 2
Cor. (F) 1 2
Tr. (C) 1 2
I
Vl.
II
pp
pp
Vla.
Vc.
Cb.
114
Fl. 1 2
Ob. 1
dolce
Cl. (B♭) 1
dolce
dolce
Fg. 1 2
2.
p
Cor. (F) 1 2
Tr. (C) 1 2
I
Vl.
II
Vla.
Vc.
Cb.

127
Fl. 1 2
Ob. 1 2
Cl. (B♭) 1
Fg. 1 2
Cor. (F) 1 2
Tr. (C) 1 2
Vl. I II
Vla.
Vc.
Cb.
cresc.
p
p dolce
2.
139
Ob. 1
Fg. 2
dolce
Vc. Cb.

sempre più stretto
Fl. 1 2
Ob. 1
Cl. (B♭) 1
Fg. 1 2
Cor. (F) 1 2
Tr. (C) 1 2
Vl. I II
Vla.
Vc.
Cb.
cresc.
a 2
a tempo Allegro (♩ = 132)
Fl. 1
Ob. 1 2
Cl. (B♭) 1 2
Fg. 1 2
Cor. (F) 1 2
Tr. (C) 1 2
Vl. I II
Vla.
Vc. Cb.

175
Fl. 1 2
Ob. 1 2
Cl. (B♭) 1 2
Fg. 1 2
a 2
Cor. (F) 1 2
Tr. (C) 1 2
I
Vl.
II
Vla.
Vc.
Cb.
184
ff

193
Fl.
Ob.
Cl. (B♭)
Fg.
Cor. (F)
Tr. (C)
Vl.
I
II
Vla.
Vc.
Cb.
sempre più f
202
Tempo I
ff
p
pp

B
215
G.P.
Fl. 1
Ob. 1 2
Cl. (B♭) 1 2
Fg. 1 2
Cor. (F) 1 2
Tr. (C) 1 2
I
Vl.
II
Vla.
Vc.
Cb.
cresc.
f
p
p dolce
dolce
1.
pizz.
228
Presto
Fl. 1 2
arco
ff
sf

241
a 2
Fl.
Ob.
Cl. (B♭)
Fg.
Cor. (F)
Tr. (C)
I
Vl.
II
Vla.
Vc.
Cb.
255
Vc.
Cb.

Gewitter. Sturm
[Thunder. Storm]

IV. **Allegro** (𝅗𝅥 = 80)

C
17
Fl. 1 2
Ob. 1 2
Cl. (B♭) 1 2
Fg. 1 2
Cor. (F) 1 2
Tr. (E♭) 1 2
Timp.
Vl. I II
Vla.
Vc.
Cb.
1.
cresc.
ff
a 2
tr
p
22
(tr)

26
Fl. 1 2
Ob. 1 2
Cl. (B♭) 1 2
Fg. 1 2
a 2
Cor. (F) 1 2
Tr. (E♭) 1 2
Timp.
tr
I
Vl.
II
Vla.
Vc.
Cb.
30
Fl. 1 2
Ob. 1 2
Cl. (B♭) 1 2
Fg. 1 2
Cor. (F) 1 2
Tr. (E♭) 1 2
(tr)
tr
Timp.
I
Vl.
II
Vla.
Vc.
Cb.

34
Fl. 1 2
Ob. 1 2
Cl. (B♭) 1 2
Fg. 1 2
Cor. (F) 1 2
Tr. (E♭) 1 2
Timp.
I
Vl.
II
Vla.
Vc.
Cb.
a 2
D
41

46
Fl. 1 2
Ob. 1 2
Cl. (B♭) 1 2
Fg. 1 2
Cor. (F) 1 2
Tr. (E♭) 1 2
Timp.
Vl. I II
Vla.
Vc. Cb.
sf
fp
f
p cresc.
cresc.
51
più f
fp

57
Fl. 1 2
Ob. 1
Cl. (B♭) 1
Fg. 1 2
Cor. (F) 1 2
Tr. (E♭) 1 2
Timp.
Vl. I II
Vla.
Vc. Cb.
p
pp
63
Fl. 1 2
Ob. 1 2
Cl. (B♭) 1
Fg. 1 2
Cor. (F) 1 2
Tr. (E♭) 1 2
Timp.
Vl. I II
Vla.
Vc.
Cb.

68
Fl. 1 2
Ob. 1 2
Cl. (B♭) 1
Fg. 1 2
Cor. (F) 1 2
Tr. (E♭) 1 2
Timp.
I
Vl.
II
Vla.
Vc.
Cb.
pp
2.
1.
72
Fl. 1
p cresc.
cresc.
stacc.

75
Fl. 1
cresc.
cresc.
Ob. 1 2
Cl. (B♭) 1
Fg. 1
cresc.
cresc.
Cor. (F) 1 2
Tr. (E♭) 1 2
Timp.
I
Vl.
II
Vla.
Vc.
Cb.
E
78
Picc.
Fl. 1 2
ff
sf
sfff
Ob. 1 2
Cl. (B♭) 1 2
Fg. 1 2
a 2
Cor. (F) 1 2
Tr. (E♭) 1 2
Timp.
più f
I
Vl.
II
Vla.
Vc.
Cb.

83
Picc.
Fl. 1 2
Ob. 1 2
Cl. (B♭) 1 2
Fg. 1 2
Cor. (F) 1 2
Tr. (E♭) 1 2
Timp.
I
Vl.
II
Vla.
Vc.
Cb.
89
a 2
a 2

96
Picc.
p cresc.
f
Fl. 1 2
cresc.
fp
cresc.
Ob. 1 2
cresc.
fp
cresc.
Cl. (B♭) 1 2
p cresc.
cresc.
f
fp
cresc.
Fg. 1 2
p cresc.
f
Cor. (F) 1 2
Tr. (E♭) 1 2
Trbn. A T
Timp.
I
Vl.
II
cresc.
f
sf
p
cresc.
Vla.
cresc.
f
sf
p
cresc.
Vc.
cresc.
f
p cresc.
Cb.
f

F
101
Picc.
Fl. 1 2
Ob. 1 2
Cl. (B♭) 1 2
Fg. 1 2
Cor. (F) 1 2
Tr. (E♭) 1 2
Trbn. A T
Timp.
Vl. I
Vl. II
Vla.
Vc.
Cb.
p cresc.
sempre più f
f
ff

107
Picc.
Fl. 1 2
Ob. 1 2
Cl. (B♭) 1 2
Fg. 1 2
Cor. (F) 1 2
Tr. (E♭) 1 2
Trbn. A T
Timp.
tr
I
Vl.
II
Vla.
Vc.
Cb.

110
Picc.
Fl. 1 2
Ob. 1 2
Cl. (B♭) 1 2
Fg. 1 2
Cor. (F) 1 2
Tr. (E♭) 1 2
Trbn. A T
Timp.
(tr)
tr
I
Vl.
II
Vla.
Vc.
Cb.
sf

115
G
Picc.
Fl. 1 2
Ob. 1 2
Cl. (B♭) 1 2
Fg. 1 2
Cor. (F) 1 2
Tr. (E♭) 1 2
Trbn. A T
Timp.
Vl. I II
Vla.
Vc. Cb.
sf
p
sempre dim.
tr
121

127
Fl. 1 2
Ob. 1 2
sempre dim.
p
più dim.
Cl. (B♭) 1 2
sempre dim.
p
più dim.
Fg. 1 2
Cor. (F) 1 2
Tr. (E♭) 1 2
Timp.
I
Vl.
II
p
più dim.
Vla.
p
più dim.
Vc.
Cb.
p
più dim.
136
Fl. 1 2
Ob. 1 2
pp
Cl. (B♭) 1 2
pp
Fg. 1 2
Cor. (F) 1 2
Tr. (E♭) 1 2
Timp.
f
f
p dim.
I
Vl.
II
pp
f
p
f
p
dim.
Vla.
pp
f
p
f
p
dim.
Vc.
pp
f
p
f
p dim.
Cb.
pp
f
f
p dim.

142
Fl. 1 2
Ob. 1
Cl. (B♭) 1 2
Fg. 1 2
Cor. (F) 1 2
Tr. (E♭) 1 2
Timp.
Vl. I II
Vla.
Vc.
Cb.
dim.
pp
dolce
149
1.

Hirtengesang. Frohe und dankbare Gefühle nach dem Sturm
[Shepherd's song: grateful thanks to the Almighty after the storm]

V. **Allegretto** (♩. = 60)

19
Fl. 1 2
Ob. 1 2
Cl. (B♭) 1 2
Fg. 1 2
Cor. (F) 1 2
Tr. (C) 1 2
Trbn. A T
I
Vl.
II
Vla.
pizz.
Vc. Cb.
pizz.
24
cresc.
cresc.
ff
a 2
arco
simile
simile
pizz.
arco
Cb.

H
29
Fl. 1 2
Ob. 1 2
Cl. (B♭) 1 2
a 2
Fg. 1 2
Cor. (F) 1 2
Tr. (C) 1 2
Trbn. A T
Vl. I II
Vla.
Vc.
Cb.
ten.
35
tr

40
Fl. 1 2
Ob. 1 2
Cl. (B♭) 1 2
Fg. 1 2
Cor. (F) 1 2
a 2
Tr. (C) 1 2
Trbn. A T
I
Vl.
II
Vla.
Vc.
Cb.
45

50
Fl. 1 2
Ob. 1 2
Cl. (B♭) 1 2
Fg. 1 2
Cor. (F) 1 2
Tr. (C) 1 2
Trbn. A T
I
Vl.
II
Vla.
Vc.
Cb.
p cresc.
cresc. f
f
ff
fp
cresc.

55
Fl. 1 2
ff
1.
p dolce
Ob. 1 2
ff
1.
p dolce
cresc.
Cl. (B♭) 1 2
ff
1.
p dolce
cresc.
Fg. 1 2
ff
1.
p cresc.
Cor. (F) 1 2
ff
p
p
cresc.
Tr. (C) 1 2
ff
Trbn. A T
ff
I
ff
f
p
dim.
pp
cresc.
Vl.
II
ff
f
p
dim.
pp
cresc.
Vla.
ff
f
p
dim.
pp
cresc.
Vc.
ff
p
cresc.
Cb.
ff

I
63
Fl. 1 2
Ob. 1
Cl. (B♭) 1 2
Fg. 1 2
Cor. (F) 1 2
Tr. (C) 1 2
Trbn. A T
Vl. I II
Vla.
Vc.
Cb.
cresc.
p
pizz.
tr
69
Ob. 1 2

75
Fl. 1 2
Ob. 1 2
Cl. (B♭) 1 2
Fg. 1 2
Cor. (F) 1 2
Tr. (C) 1 2
Trbn. A T
I
Vl.
II
Vla.
Vc.
Cb.
stacc.
cresc.
f
ff
pizz.
arco
K
80
dolce
p
sf

85
Fl. 1 2
Ob. 1 2
Cl. (B♭) 1 2
Fg. 1 2
Cor. (F) 1 2
Tr. (C) 1 2
Trbn. A T
I
Vl.
II
Vla.
Vc.
Cb.
90
più f
ff

95
Fl. 1 2
Ob. 1 2
Cl. (B♭) 1 2
Fg. 1 2
Cor. (F) 1
Tr. (C) 1 2
Trbn. A T
Vl. I II
Vla.
Vc.
Cb.
pizz.
arco
100
a 2
Cor. (F) 1 2

105
a 2
Fl. 1 2
Ob. 1 2
Cl. (B♭) 1 2
Fg. 1 2
Cor. (F) 1 2
Tr. (C) 1 2
Trbn. A T
Vl. I II
Vla.
Vc.
Cb.
ff
dim.
f
sf
110
1.
p
dim.
pp
cresc.
p dim.

L
115
Fl. 1 2
Ob. 1 2
Cl. (B♭) 1 2
Fg. 1 2
Cor. (F) 1 2
Tr. (C) 1 2
Trbn. A T
I
Vl.
II
Vla.
Vc.
Cb.
p
dolce
cresc.
pp
p dolce
pizz.
120
arco

125
Fl. 1 2
Ob. 1 2
Cl. (B♭) 1 2
Fg. 1 2
Cor. (F) 1 2
Tr. (C) 1 2
Trbn. A T
stacc.
I
Vl.
II
pizz.
Vla.
pizz.
Vc.
Cb.
130
cresc.
cresc.
ff
arco
pizz.

135
Fl. 1 2
Ob. 1 2
Cl. (B♭) 1 2
Fg. 1 2
Cor. (F) 1 2
Tr. (C) 1 2
Trbn. A T
I
Vl.
II
Vla.
Vc.
Cb.
140
ten.
tr

145
Fl. 1 2
Ob. 1 2
Cl. (B♭) 1 2
Fg. 1 2
Cor. (F) 1 2
Tr. (C) 1 2
Trbn. A T
I
Vl.
II
Vla.
Vc.
Cb.
più f
M
150

156
Fl. 1 2
Ob. 1 2
Cl. (B♭) 1 2
Fg. 1 2
Cor. (F) 1 2
Tr. (C) 1 2
Trbn. A T
I
Vl.
II
Vla.
Vc.
Cb.
tr
cresc. f
p cresc.
fp
cresc.
f
p

161
Fl. 1 2
Ob. 1 2
Cl. (B♭) 1 2
Fg. 1 2
Cor. (F) 1 2
Tr. (C) 1 2
Trbn. A T
I
Vl.
II
Vla.
Vc.
Cb.
f
ff
pp
p dim.
cresc.

169
Fl. 1
Ob. 1
Cl. (B♭) 1 2
Fg. 1 2
Cor. (F) 1 2
Tr. (C) 1 2
Trbn. A T
Vl. I II
Vla.
Vc.
Cb.
p cresc.
cresc.
N
174
Fl. 1 2
Ob. 1 2
f
ff
a 2
p
pizz.

182
Fl. 1 2
Ob. 1 2
Cl. (B♭) 1 2
Fg. 1 2
Cor. (F) 1 2
Tr. (C) 1 2
Trbn. A T
Vl. I II
Vla.
Vc.
Cb.
1.
p cresc.
cresc.
pizz.
arco
190
ff
sf
dim.

196
Fl. 1 2
Ob. 1
Cl. (B♭) 1 2
Fg. 1 2
Cor. (F) 1 2
Tr. (C) 1 2
Trbn. A T
Vl. I II
Vla.
Vc.
Cb.
pp
cresc.
p cresc.
201
1.
f

206
Fl. 1 2
Ob. 1 2
Cl. (B♭) 1 2
a 2
Fg. 1 2
Cor. (F) 1 2
Tr. (C) 1 2
Trbn. A T
I
Vl.
II
Vla.
Vc.
pizz.
Cb.
211
Fl. 1
p cresc.
cresc.
Ob. 1
Cl. (B♭) 1 2
Fg. 1 2
Cor. (F) 1
Tr. (C) 1 2
Trbn. A T
Vla.
Vc.
arco
Cb.

O
216
Fl. 1 2
Ob. 1 2
Cl. (B♭) 1 2
Fg. 1 2
Cor. (F) 1 2
Tr. (C) 1 2
Trbn. A T
Vl. I II
Vla.
Vc. Cb.
cresc.
ff
sf
222
1.

230
Fl. 1
Ob. 1 2
Cl. (B♭) 1 2
Fg. 1 2
Cor. (F) 1 2
Tr. (C) 1 2
Trbn. A T
I
Vl.
II
Vla.
Vc.
Cb.
dim.
p
più p
pp
pp sotto voce
238
Fl. 1 2
f
p dolce
cresc.
sotto

Printed in China